아름다운 백화요란의 세계

입체 종이오리기 인기 패턴 101

오리기 도안북

사용방법

《입체 종이오리기 인기 패턴 101》 안에서
140%로 확대해야 할 도안들을 모아
바로 사용 가능하도록
실측 크기를 실었습니다.

해든아침

B5 도화지를 반으로 접어서 만듭니다.

Design 62

본문 **74** 페이지

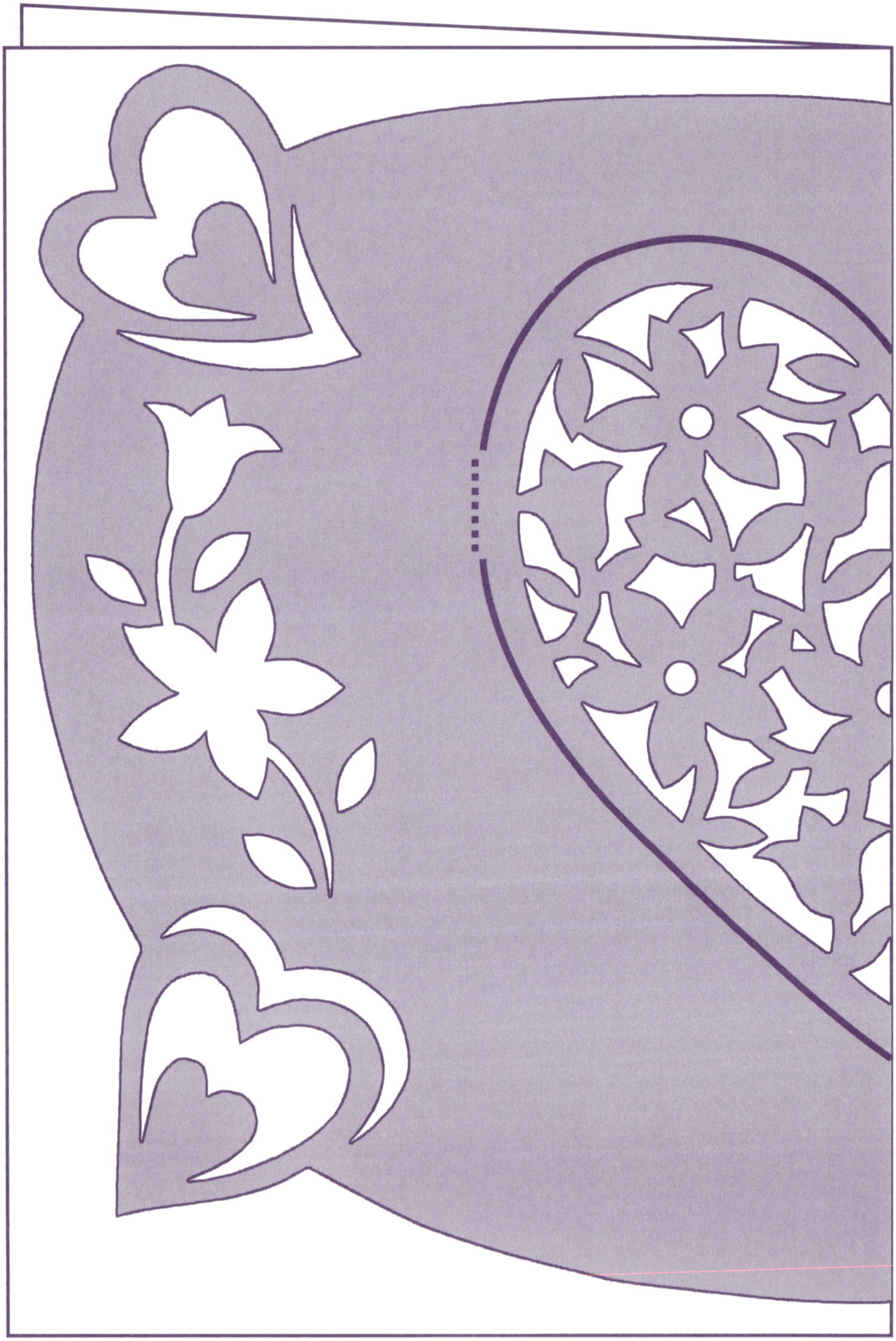

칼집

접는 선

──── 칼집

••••• 접는 선

B5 도화지를 두 번 접어서 만듭니다.

Design
66

본문 **80**페이지

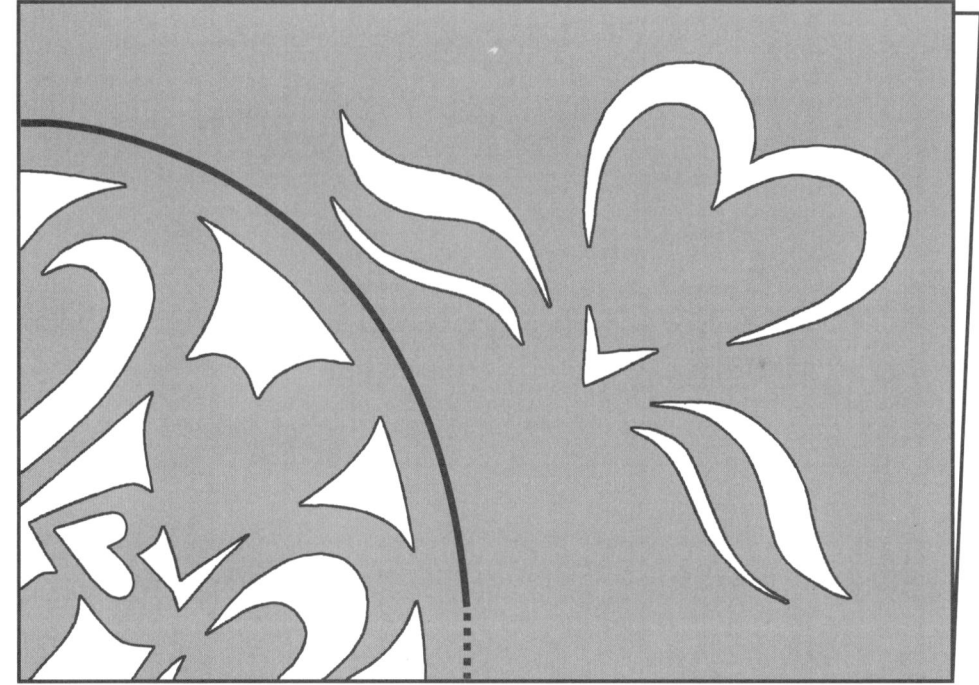

—— 칼집

······ 접는 선

Design
67

본문 **81**페이지

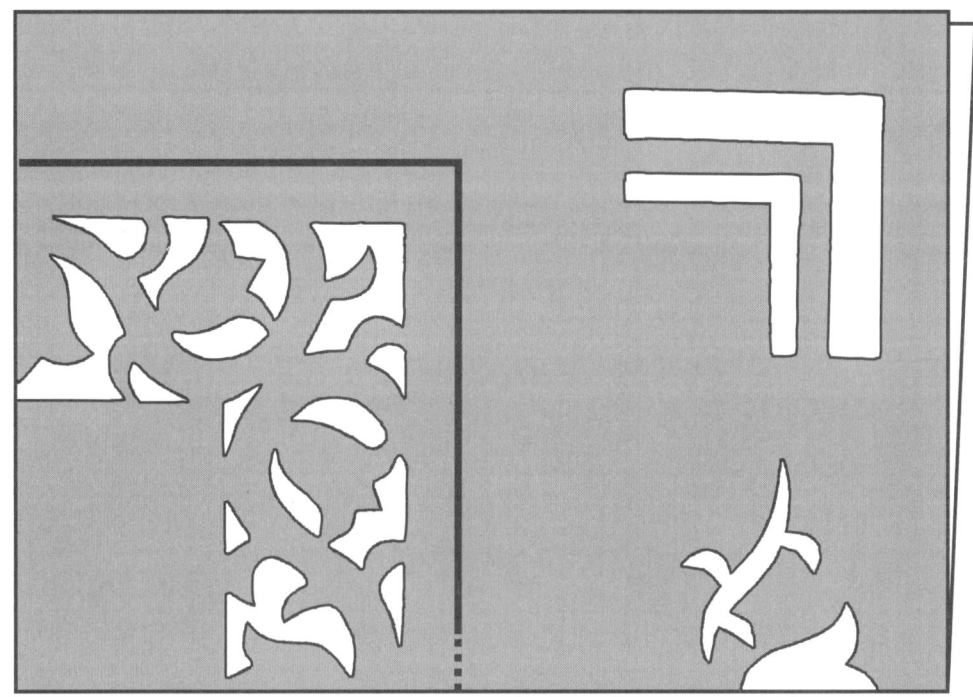

—— 칼집

····· 접는 선

——— 칼집
‥‥‥ 접는 선

B5 도화지를 두 번 접어서 만듭니다.

Design
69

본문 **84** 페이지

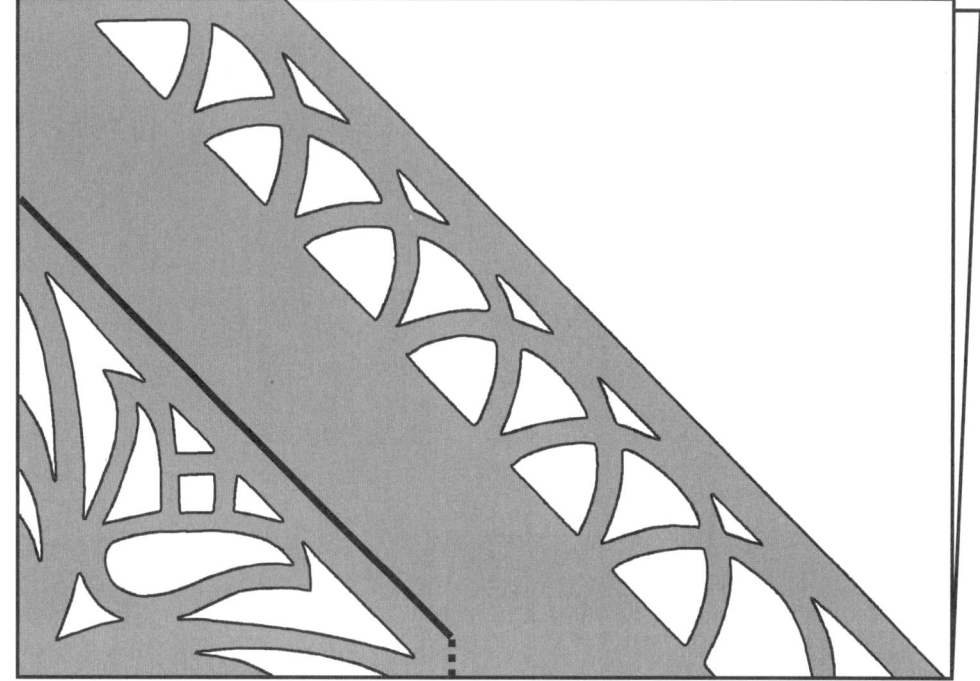

―― 칼집
······ 접는 선

Design
70

본문 **85** 페이지

―― 칼집
······ 접는 선

8

—— 칼집
∙∙∙∙∙ 접는 선

왕관형 팝업 카드 만드는 방법
(본문 **89**페이지)

1 종이 안쪽에 도안을 그립니다.
2 번호대로 산접기 · 골접기를 반복해서 접습니다.
3 밑그림을 그리고 오립니다.
4 펼친 후 뒤집어 겉면을 위로 합니다.
5 접는 선을 전부 산접기하고, 육각형으로 만듭니다.
6 풀칠을 이웃이 되는 측면 안쪽에 붙이면 완성됩니다.

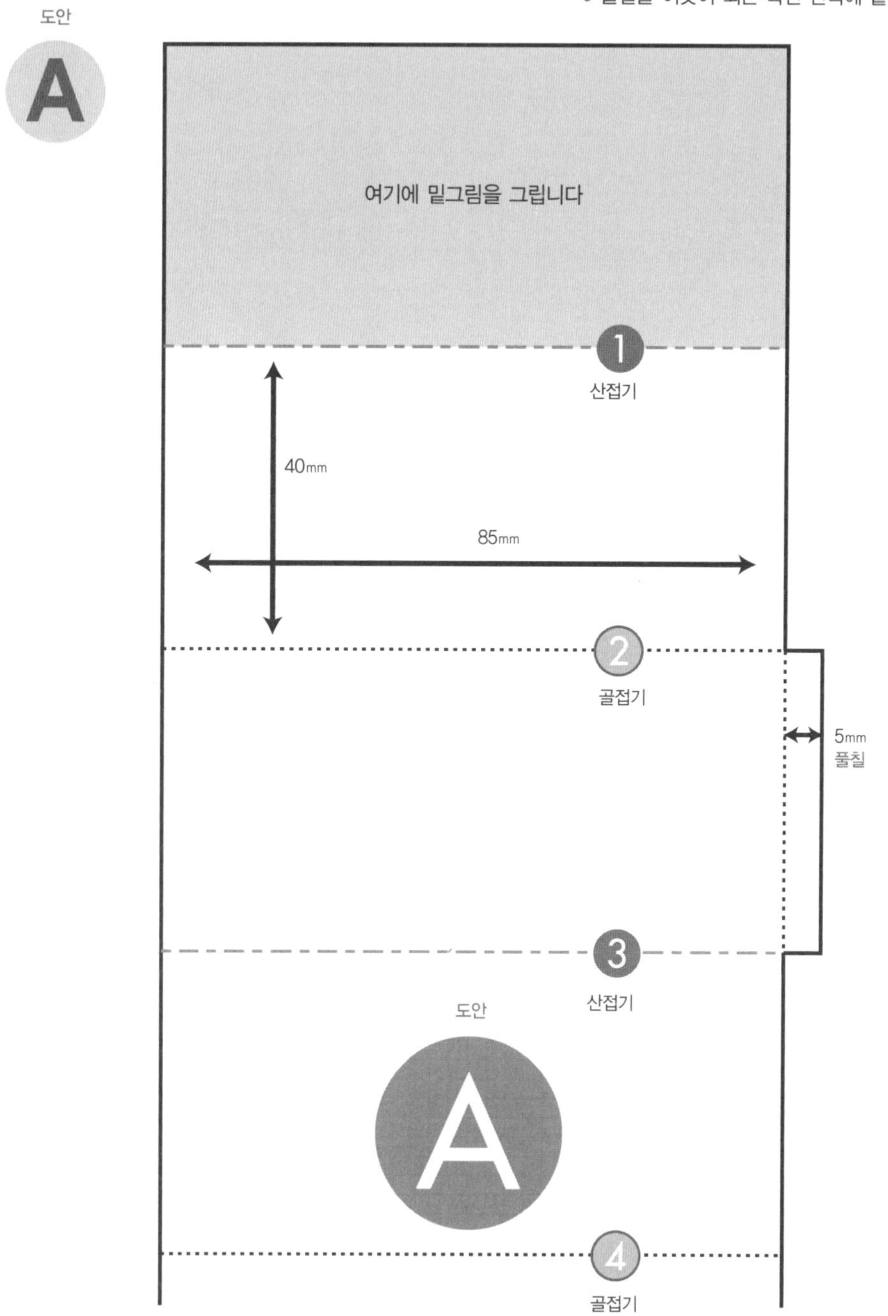

도안

여기에 밑그림을 그립니다

1 산접기

40mm

85mm

2 골접기

5mm
풀칠

3 산접기

도안

A

4 골접기

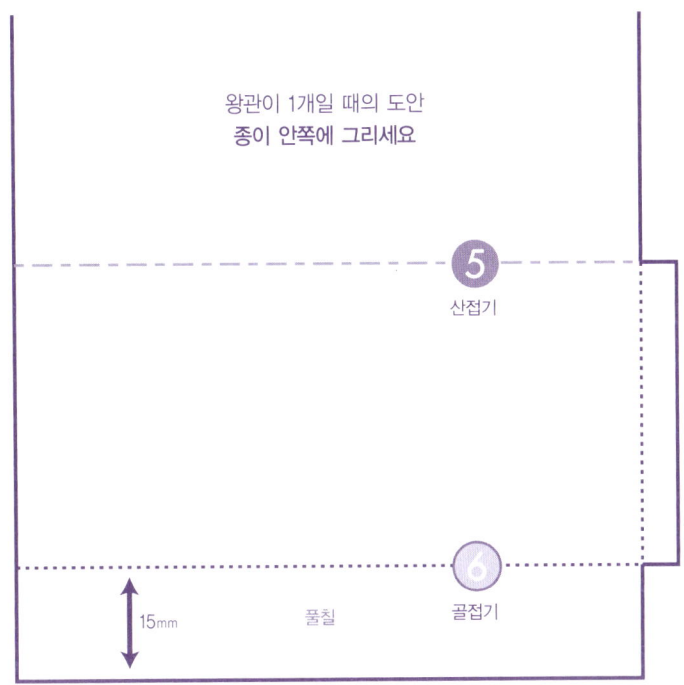

왕관이 1개일 때의 도안
종이 안쪽에 그리세요

5
산접기

6
골접기

15mm

풀칠

양면을 연결하여 만듭니다

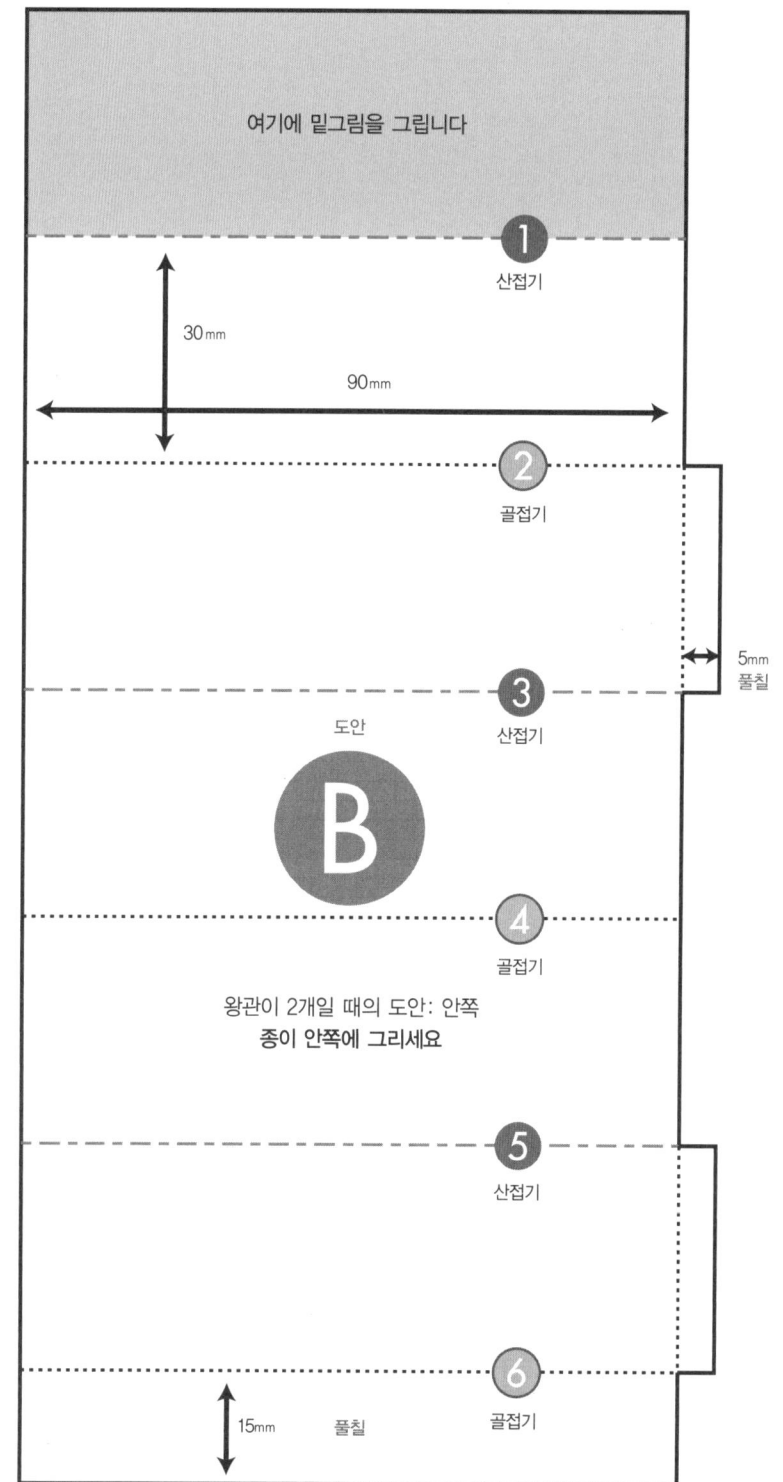

도안

B

여기에 밑그림을 그립니다

1 산접기

30mm

90mm

2 골접기

5mm
풀칠

3 산접기

도안

B

4 골접기

왕관이 2개일 때의 도안: 안쪽
종이 안쪽에 그리세요

5 산접기

6 골접기

15mm   풀칠

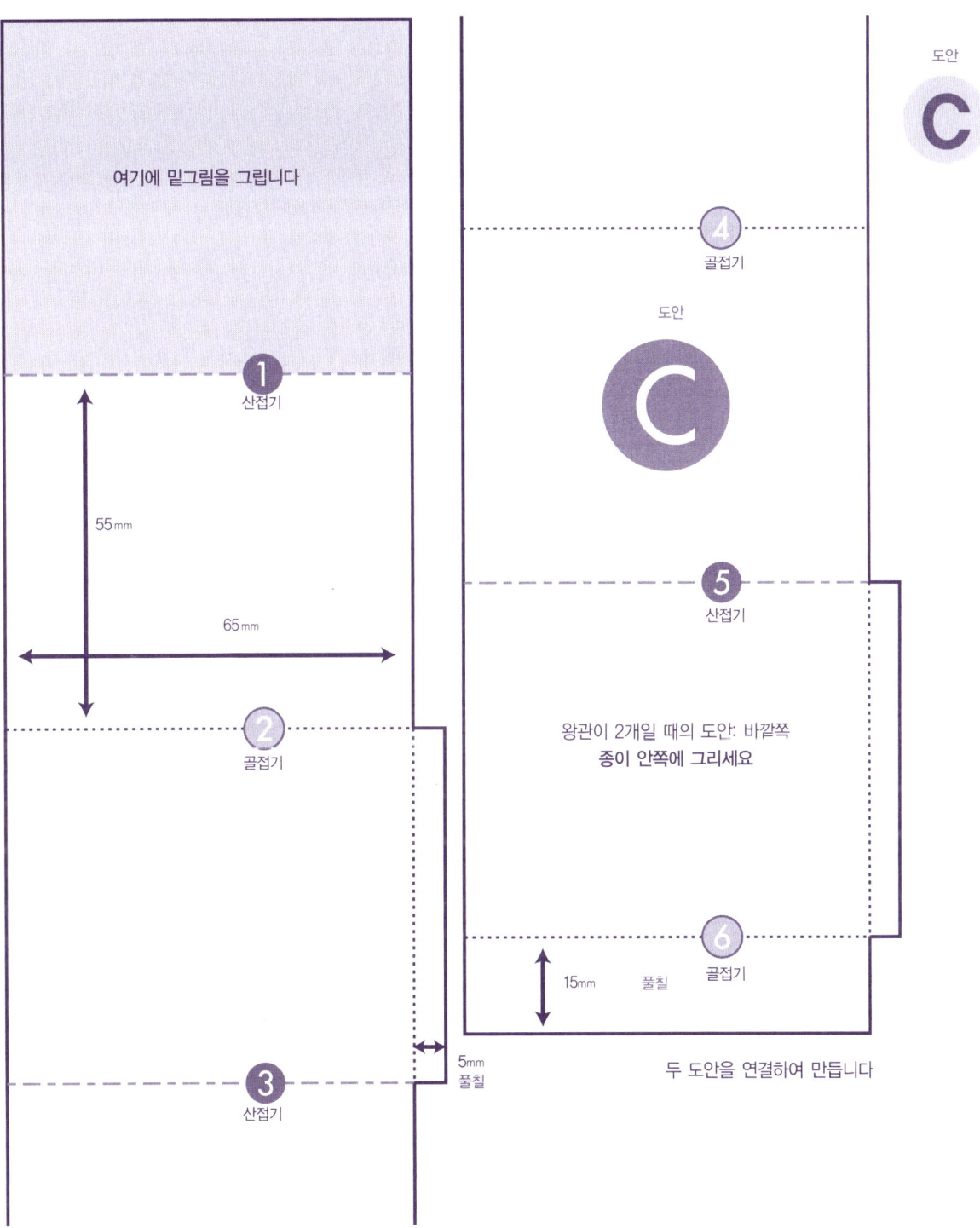

여기에 밑그림을 그립니다

1
산접기

55mm

65mm

2
골접기

3
산접기

5mm
풀칠

도안

C

4
골접기

도안

C

5
산접기

왕관이 2개일 때의 도안: 바깥쪽
종이 안쪽에 그리세요

6
골접기

15mm   풀칠

두 도안을 연결하여 만듭니다

B5 도화지를 두 번 접어서 만듭니다(중심점에서 35mm가 되는 곳에 왕관을 붙이는 기준선을 그으세요).

Design
72

본문 **90**페이지

35mm

Design
73

본문 **92**페이지

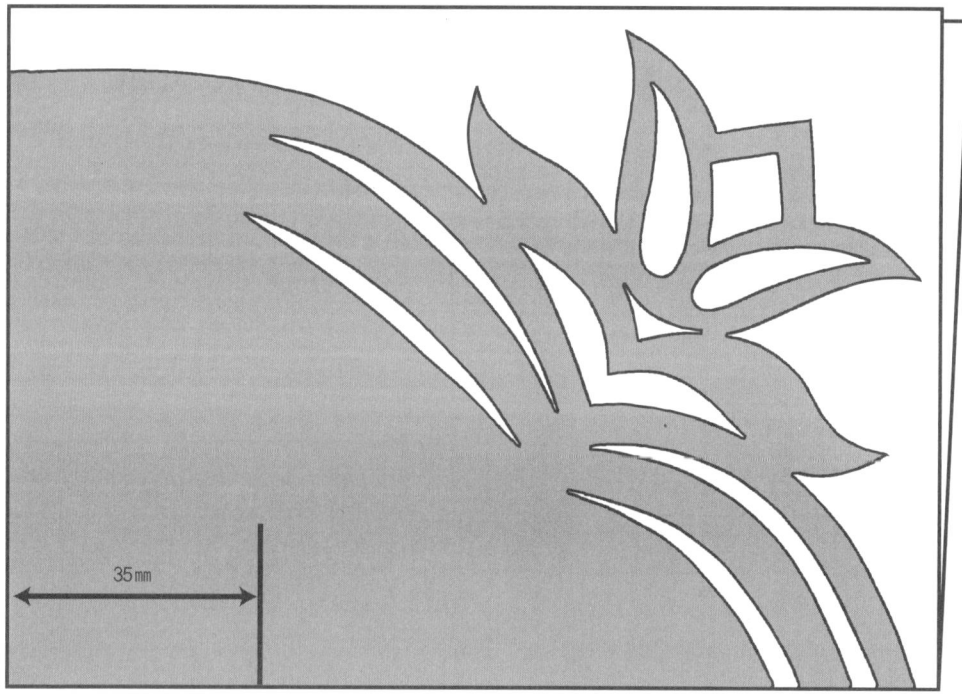

35mm

14

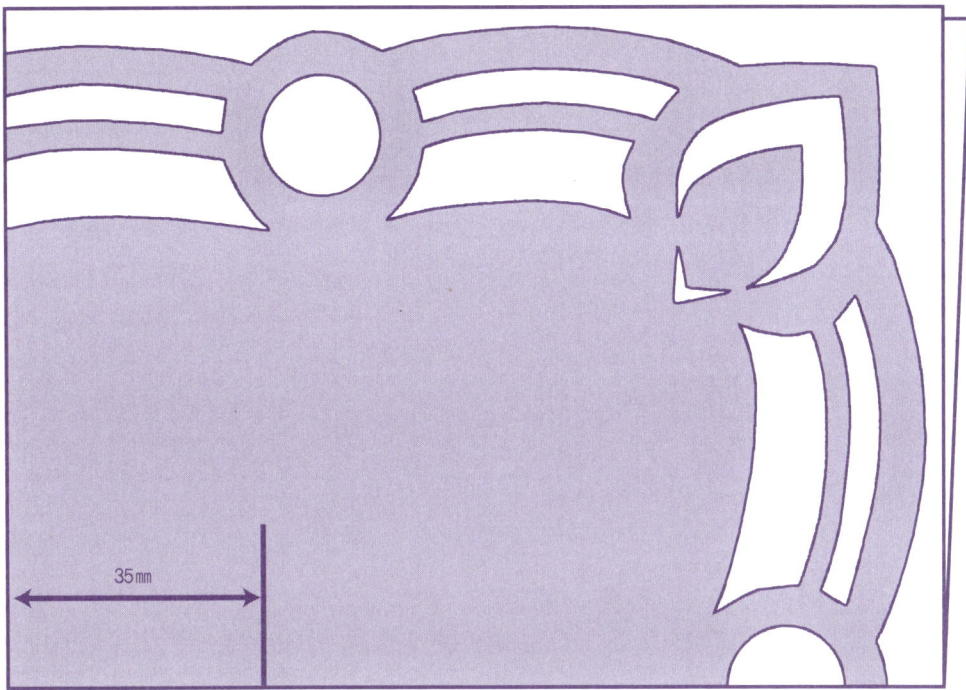

Design
74

본문 **94** 페이지

35㎜

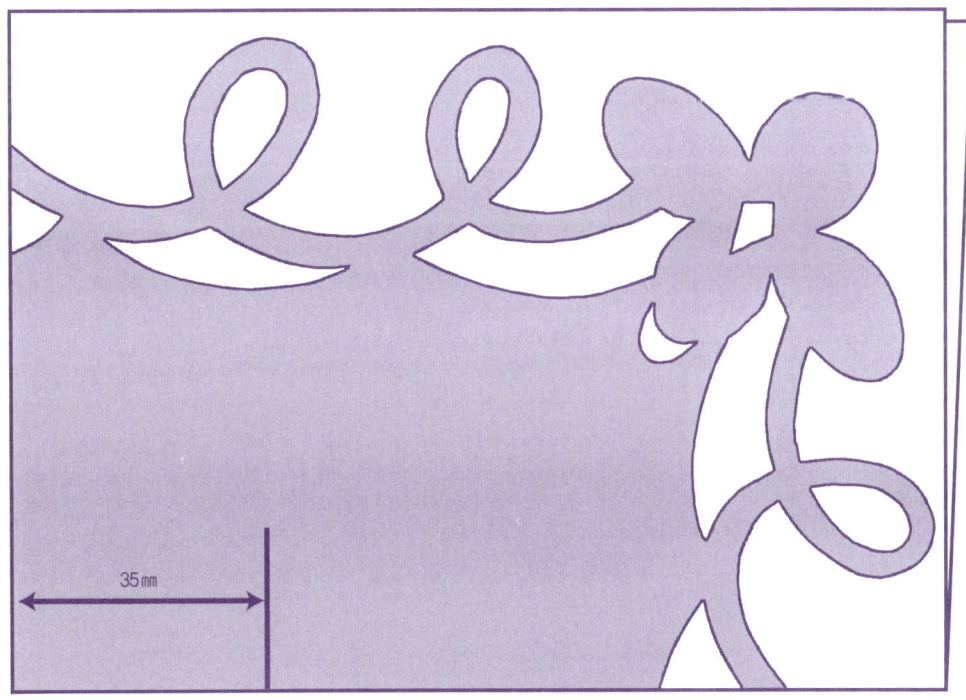

Design
75

본문 **96** 페이지

35㎜

B5 도화지를 두 번 접어서 만듭니다(중심점에서 27mm와 48mm가 되는 곳에 왕관을 붙이는 기준선을 그으세요).

Design
76

본문 **100**페이지

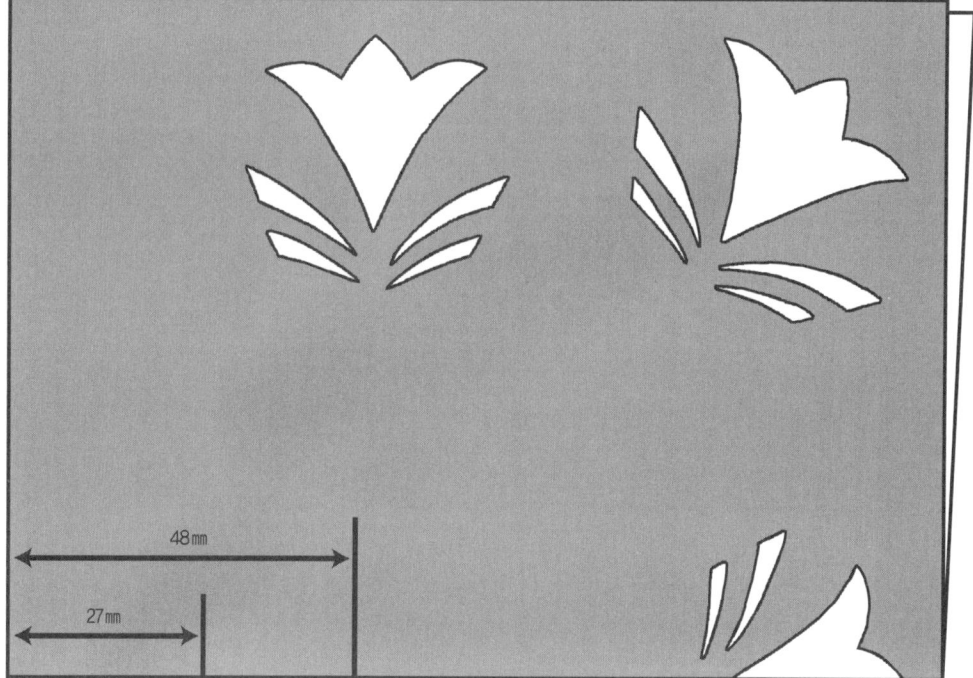

48㎜

27㎜

Design
77

본문 **102**페이지

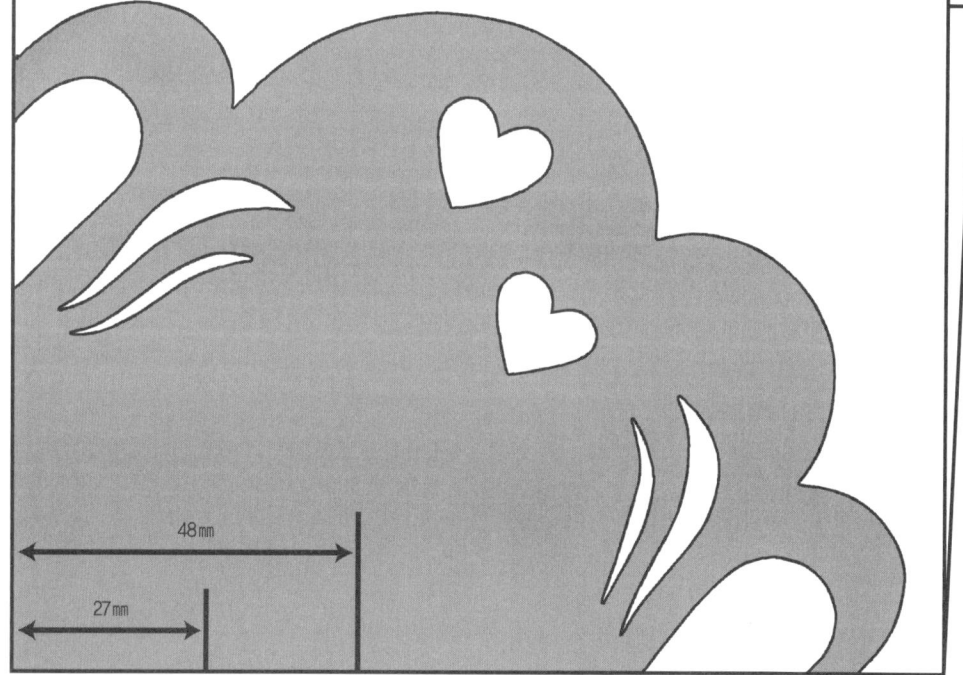

48㎜

27㎜

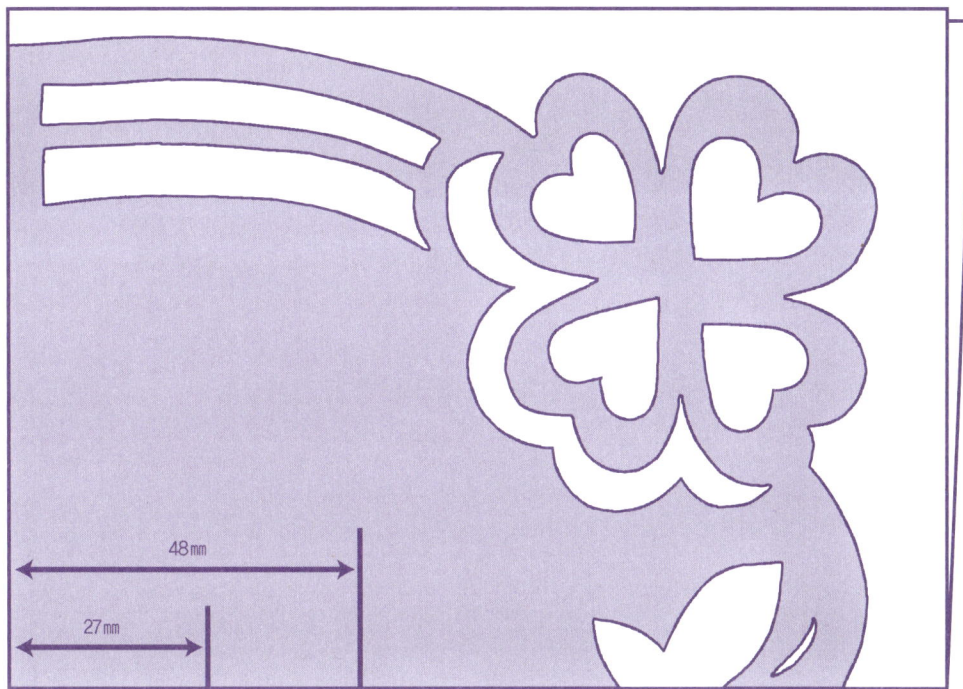

48㎜

27㎜

B5 도화지를 두 번 접어서 만듭니다.

Design
79

본문 **108**페이지

Design
80

본문 **112**페이지

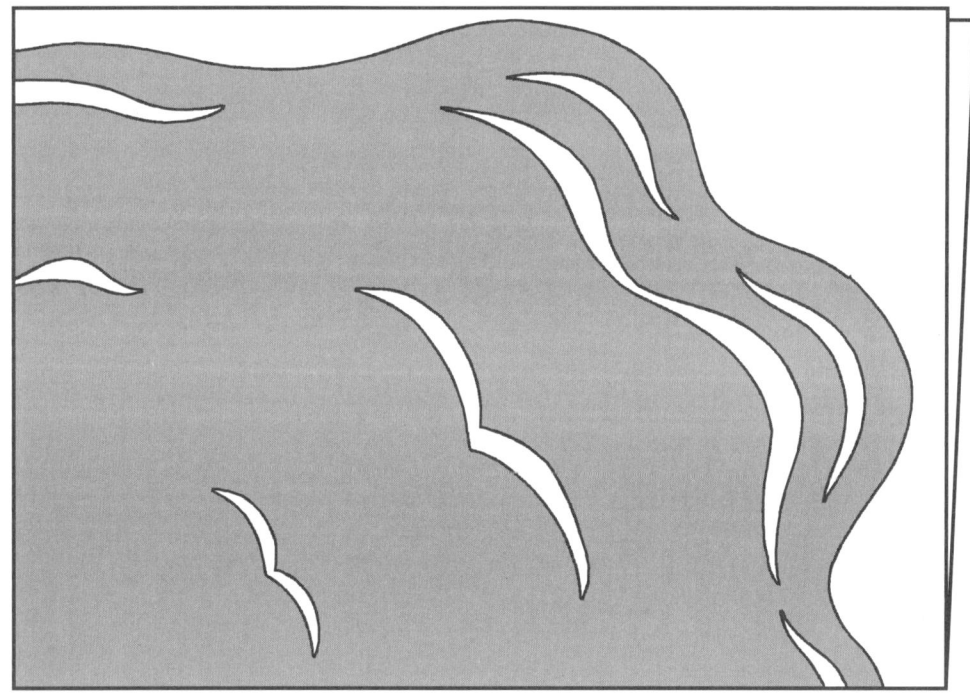

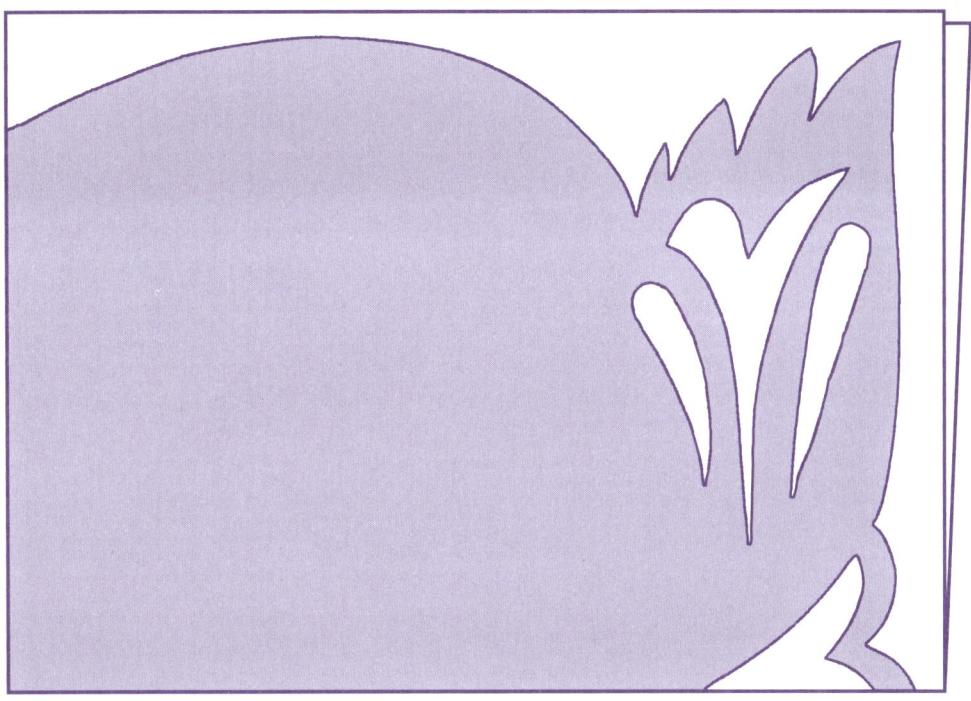

Design
81

본문 **114**페이지

Design
82

본문 **116**페이지

B5 도화지를 두 번 접어서 만듭니다.

Design
83

본문 **118**페이지

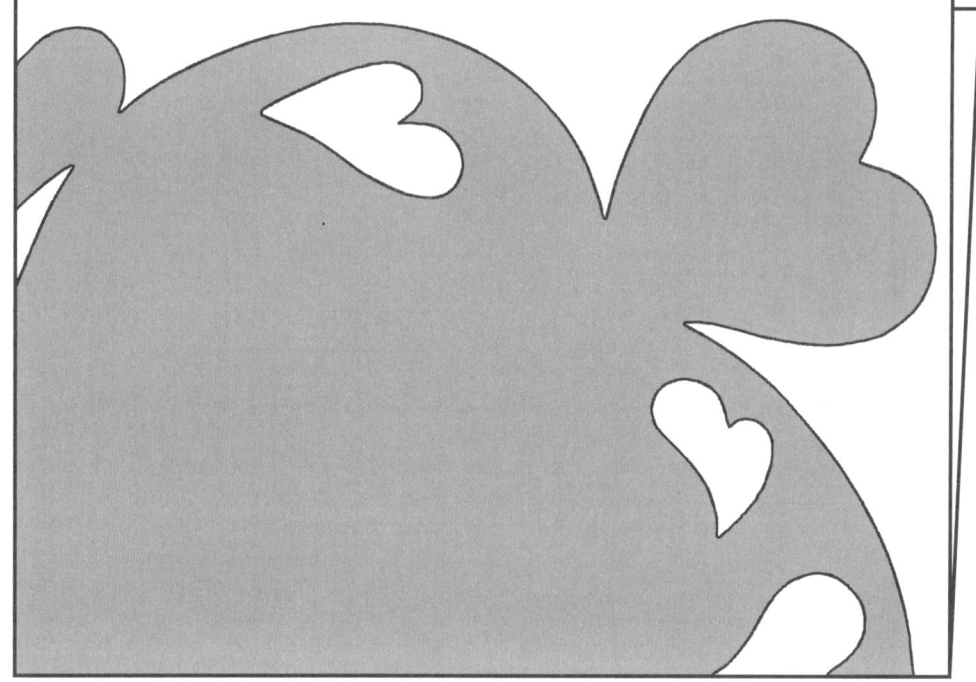

Design
84

본문 **120**페이지

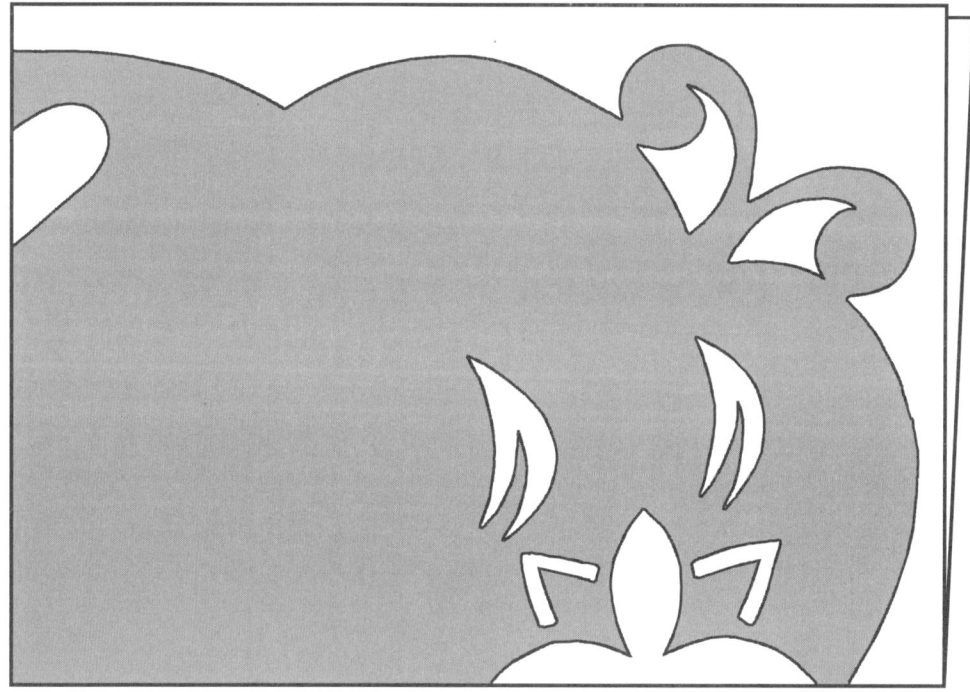

본문 **126**페이지

B6(B5 절반) 도화지를 반으로 접어서 만듭니다.

Design
85

본문 **127**페이지

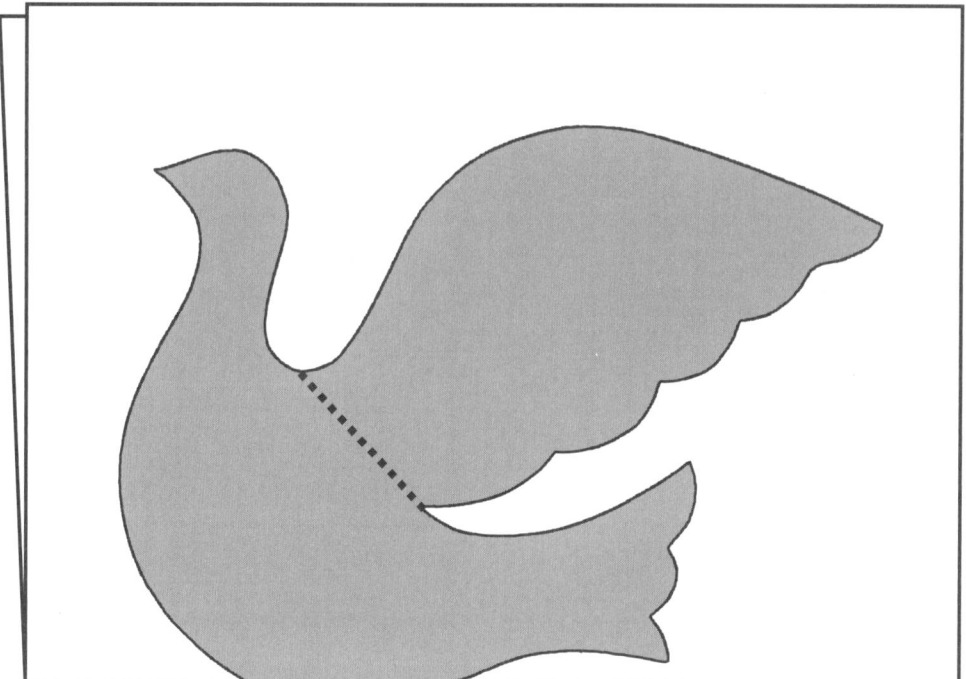

•••••• 접는 선

Design
86

본문 **129**페이지

※ 작은 구름은 B6보다 좀 더 작은 도화지로도 만들 수 있습니다.

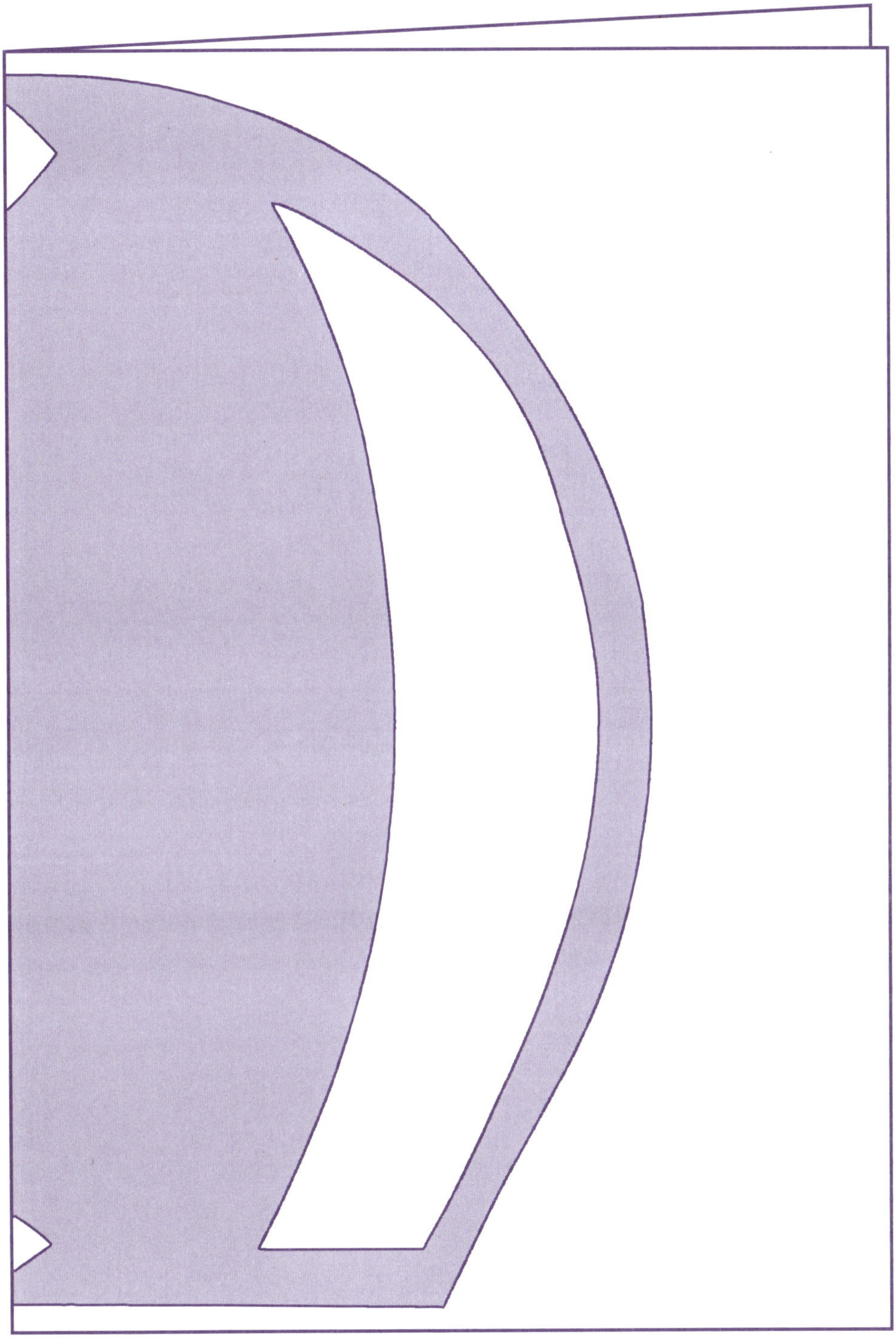

Design
86

본문 **128**페이지

B6(B5 절반) 도화지를 반으로 접어서 만듭니다.

본문 **129**페이지

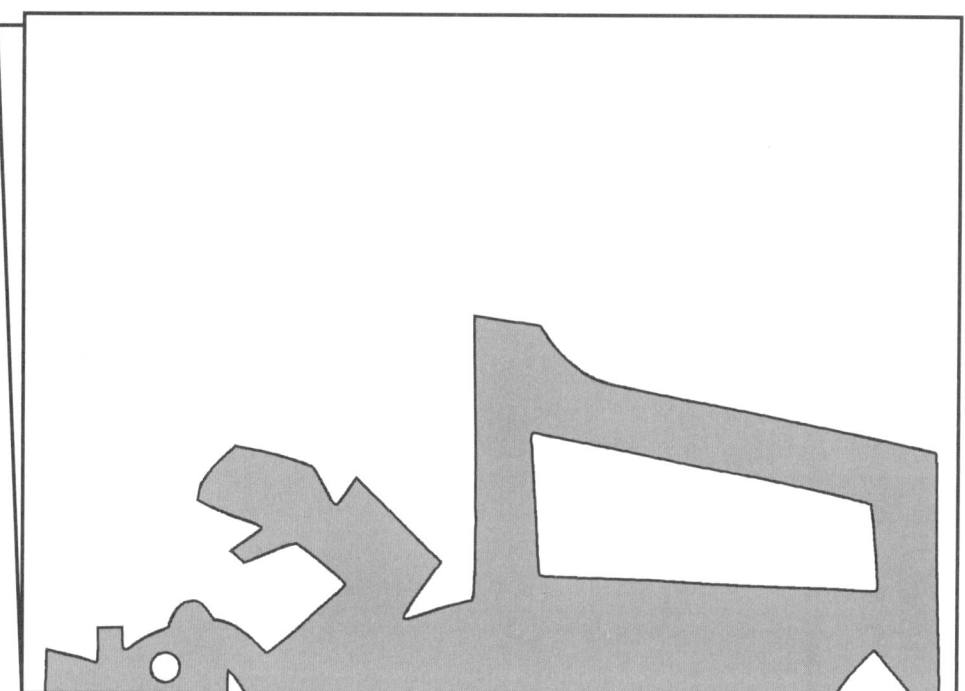

본문 **129**페이지

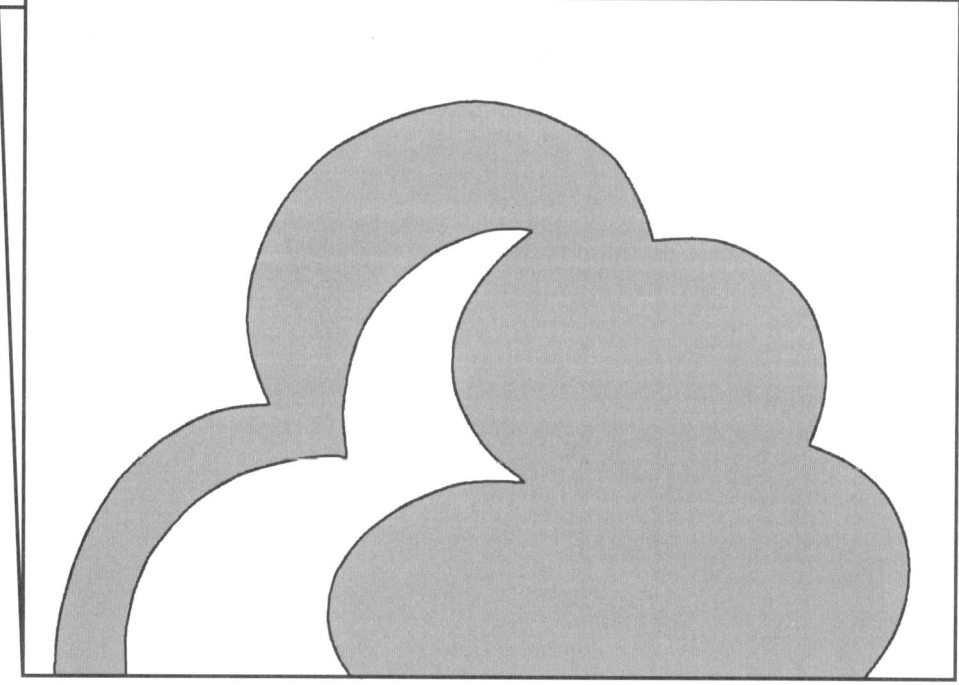

본문 **130**페이지

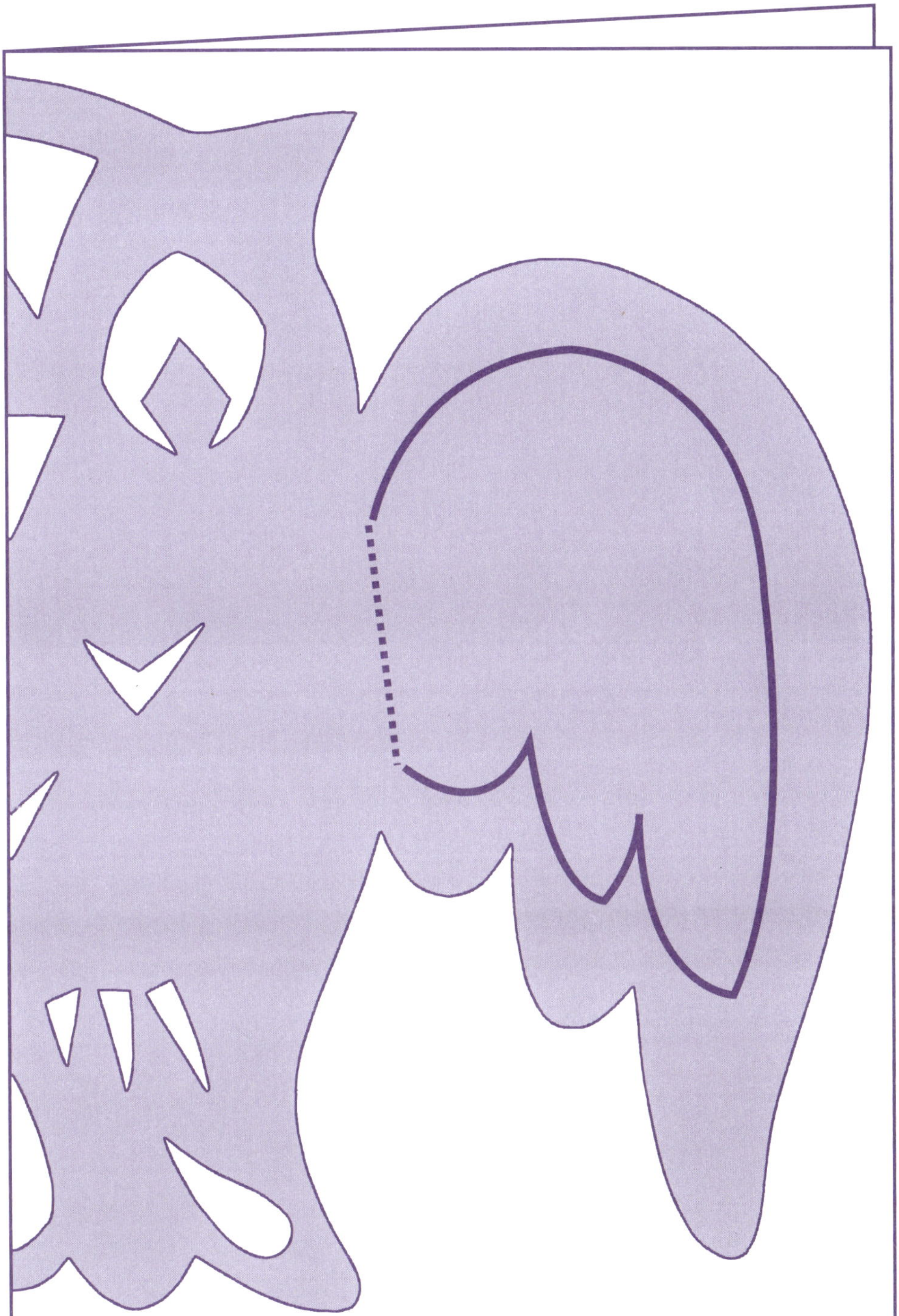

─────── 칼집

▪▪▪▪▪ 접는 선

B6(B5 절반) 도화지를 반으로 접어서 만듭니다.

Design
87

본문 **131**페이지

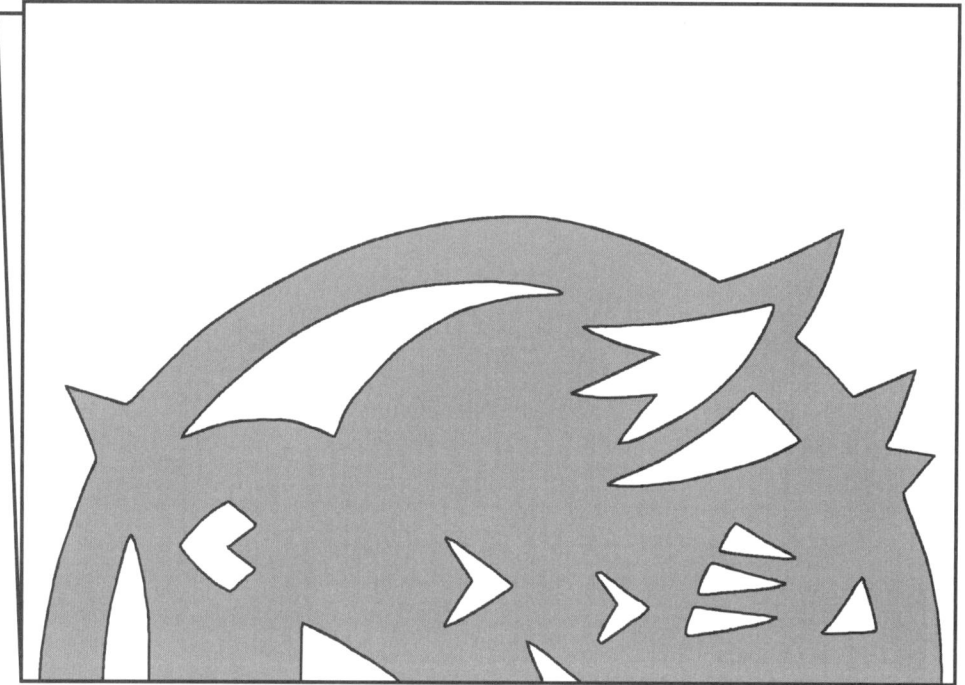

Design
88

본문 **134**페이지

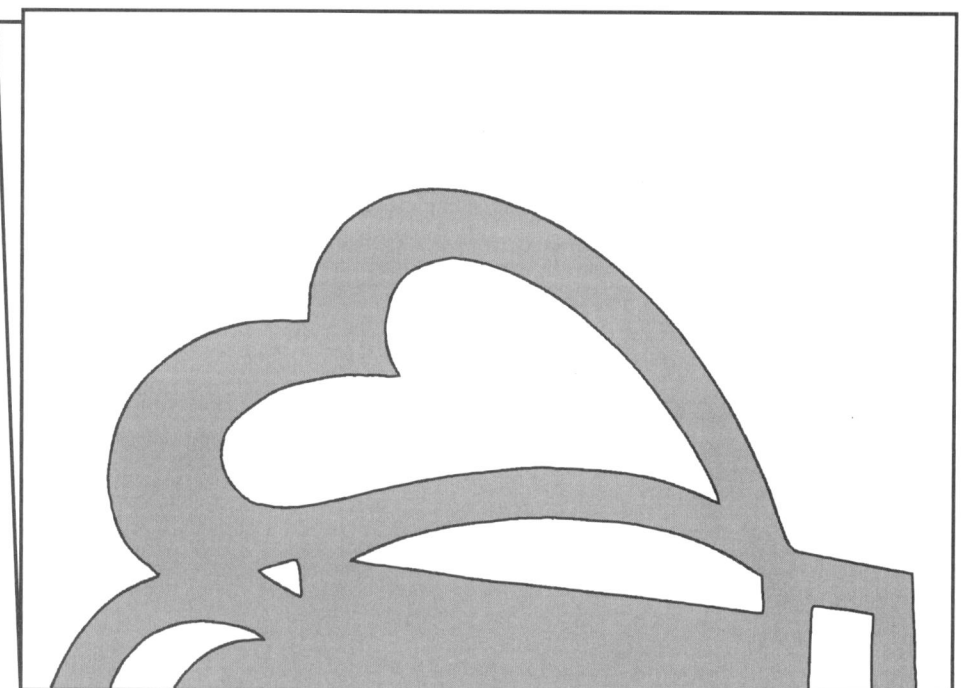

본문 **134**페이지

25×25cm 도화지를 반으로 접어서 만듭니다.

Design
88

본문 **135**페이지

양면을 연결하여 만듭니다

B5 도화지를 반으로 접어서 만듭니다.

본문 **136**페이지

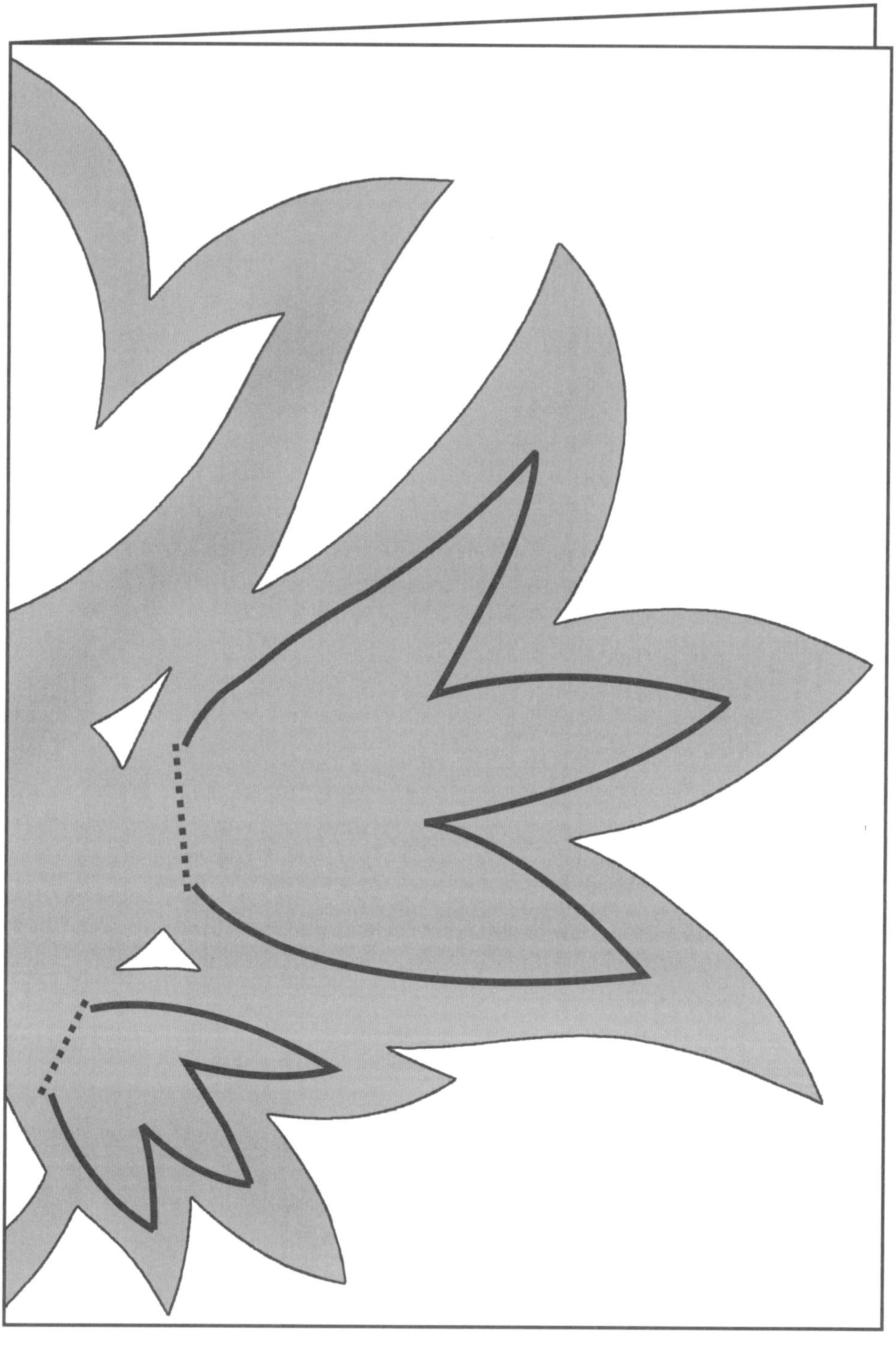

───── 칼집
▪▪▪▪▪ 접는 선

Design
89

본문 **137**페이지

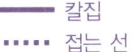

────── 칼집
‧‧‧‧‧‧ 접는 선

Design
89

본문 **137**페이지

────── 칼집
‧‧‧‧‧‧ 접는 선